JEANNE-MARIE LEPRINCE

LA Belle
ET LA Bête

ILLUSTRATIONS DE
MATTEO GUBELLINI

LECTURES **ELI** POUSSINS   PIERRE BORDAS ET FILS

oilà l'histoire d'un riche marchand, père de six enfants et très fier de sa cadette qu'on appelle la Belle Enfant parce qu'elle est très jolie. Ses deux sœurs sont très jalouses. Ce sont des filles orgueilleuses qui aiment les bals, le théâtre, les promenades. Belle est différente, elle préfère lire de beaux livres.

Un jour, le marchand perd sa fortune et il doit emmener sa famille vivre à la campagne. Les sœurs de Belle ne supportent pas l'idée d'être pauvres. Personne ne va les épouser !

Belle est très douce et on la demande en mariage, même sans argent. Mais elle refuse, elle ne veut pas quitter son cher papa.

Les frères de Belle travaillent la terre,
ses sœurs s'ennuient. Belle s'occupe de
la maison et elle est très patiente. Quand
il lui reste du temps, elle aime lire, jouer
du clavecin et chanter. Un jour,
son père reçoit une lettre.

On lui écrit qu'un bateau qui transporte
ses marchandises est de retour.
Il part en ville et promet à ses filles
de leur rapporter un cadeau.
Belle désire recevoir une rose.

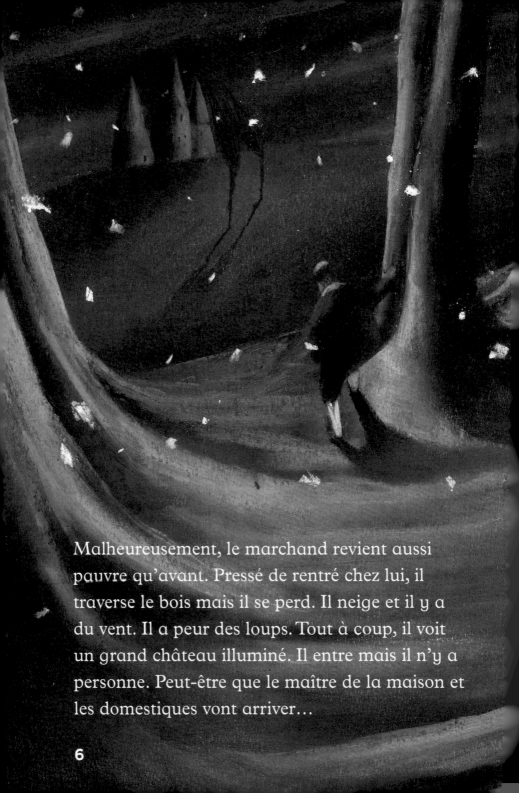

Malheureusement, le marchand revient aussi
pauvre qu'avant. Pressé de rentré chez lui, il
traverse le bois mais il se perd. Il neige et il y a
du vent. Il a peur des loups. Tout à coup, il voit
un grand château illuminé. Il entre mais il n'y a
personne. Peut-être que le maître de la maison et
les domestiques vont arriver...

Il est onze heures et il a très faim. Sur la table,
il trouve du poulet et du vin. À minuit, fatigué,
il s'endort dans un lit. Il se réveille le lendemain
matin, à dix heures. Il regarde par la fenêtre :
il voit un grand jardin plein de fleurs. Il sort et
cueille une rose pour Belle mais il entend un
grand bruit…

Une Bête horrible se présente devant lui,
sa voix est terrible : « Ingrat ! Je vous accueille
dans mon château et vous volez mes roses !
Vous allez mourir ! » « Pardonnez-moi
monseigneur ! Cette rose est pour ma fille ! »
« J'accepte de vous pardonner à une condition :
faites venir votre fille. Je vous donne trois mois ! »
La Bête donne un coffre plein de belles choses
au marchand qui rentre tristement chez lui.

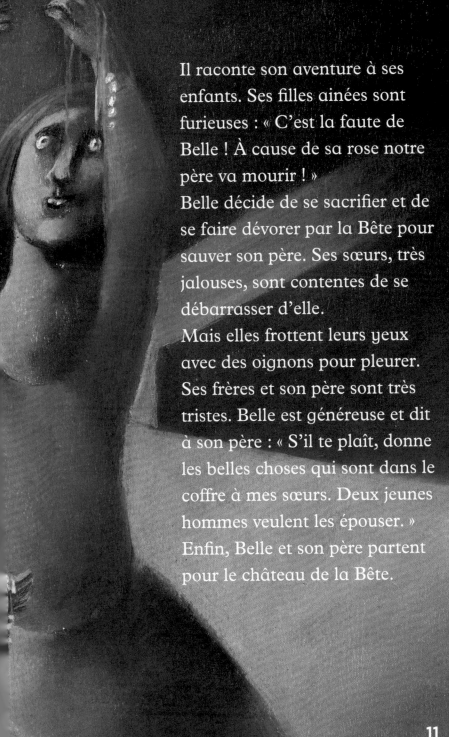

Il raconte son aventure à ses enfants. Ses filles aînées sont furieuses : « C'est la faute de Belle ! À cause de sa rose notre père va mourir ! »

Belle décide de se sacrifier et de se faire dévorer par la Bête pour sauver son père. Ses sœurs, très jalouses, sont contentes de se débarrasser d'elle.

Mais elles frottent leurs yeux avec des oignons pour pleurer. Ses frères et son père sont très tristes. Belle est généreuse et dit à son père : « S'il te plaît, donne les belles choses qui sont dans le coffre à mes sœurs. Deux jeunes hommes veulent les épouser. »

Enfin, Belle et son père partent pour le château de la Bête.

Arrivés au château, Belle et son père entrent dans la grande salle. Le dîner est prêt mais ils n'ont pas très faim. Belle pense : « Peut-être que la Bête veut me faire grossir pour me manger. »

Après dîner, la Bête entre et demande à la Belle : « Êtes-vous venue de bon cœur ? »

« Oui Monseigneur », répond Belle, morte de peur. La nuit, Belle fait un rêve. Une belle dame lui dit : « Grâce à votre bonne action, votre père va recevoir une récompense. » Mais le lendemain matin, le père de Belle est très triste parce qu'il doit se séparer de sa fille.

14

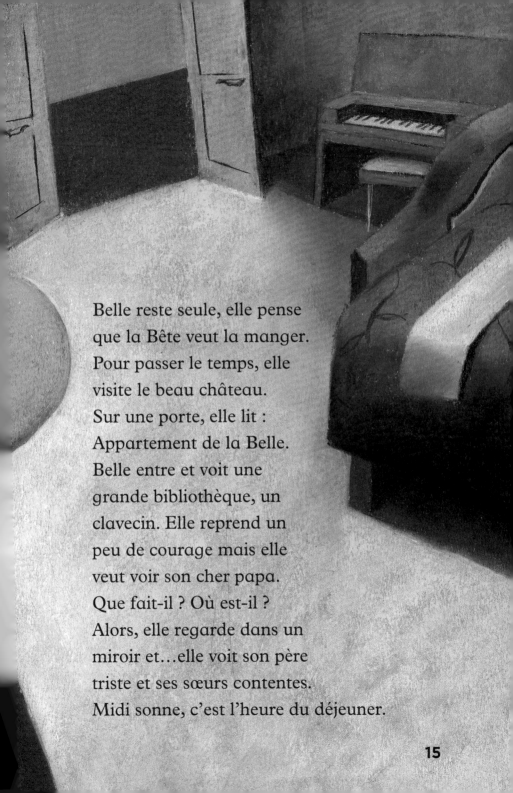

Belle reste seule, elle pense
que la Bête veut la manger.
Pour passer le temps, elle
visite le beau château.
Sur une porte, elle lit :
Appartement de la Belle.
Belle entre et voit une
grande bibliothèque, un
clavecin. Elle reprend un
peu de courage mais elle
veut voir son cher papa.
Que fait-il ? Où est-il ?
Alors, elle regarde dans un
miroir et…elle voit son père
triste et ses sœurs contentes.
Midi sonne, c'est l'heure du déjeuner.

La Bête entre et dit :
« Je peux vous regarder
manger ? » «Vous êtes le
maître », répond Belle.
«Vous me trouvez laid ? »

« Oui, mais je crois que vous êtes bon. »
« Oui mais je suis un monstre. Cette maison est
à vous. Je veux vous rendre heureuse. » Belle n'a
plus peur de la Bête et mange avec appétit quand
il lui demande : «Voulez-vous m'épouser ? »
« Non, la Bête. » Le monstre sort de la salle et
Belle le regarde tristement. Quel dommage !
Il est si bon mais il est aussi si laid !

La Belle passe trois mois dans
le château. Tous les soirs, à 9
heures, la Bête lui demande de
l'épouser. Un jour, elle lui dit :
« Je veux être votre amie pour
toujours. »
« Moi je vous aime », répond
la Bête.

Dans le miroir, Belle voit son
père malade : « S'il vous plaît
la Bête, laissez-moi aller voir
mon père, juste huit jours. »
La Bête lui donne une bague
magique et le lendemain,
Belle se réveille chez son père.

Père et fille s'embrassent ! Belle
est habillée comme une princesse
et ses sœurs sont très jalouses.
Elles ne sont pas heureuses, leurs
maris ne sont pas gentils. Elles
savent que la Bête va se mettre
en colère si Belle reste plus de
huit jours, elles décident
donc de la retenir. Elles
pleurent, se tirent les
cheveux et Belle
décide de rester
encore huit jours.

La Bête lui manque beaucoup. Une nuit, elle fait
un rêve : la Bête est couchée sur l'herbe, elle va
mourir. Belle se réveille et pleure : « Comme je
suis méchante ! C'est de ma faute ! Je ne veux
pas la rendre malheureuse. »

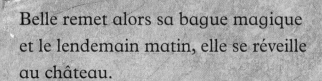

Belle remet alors sa bague magique
et le lendemain matin, elle se réveille
au château.

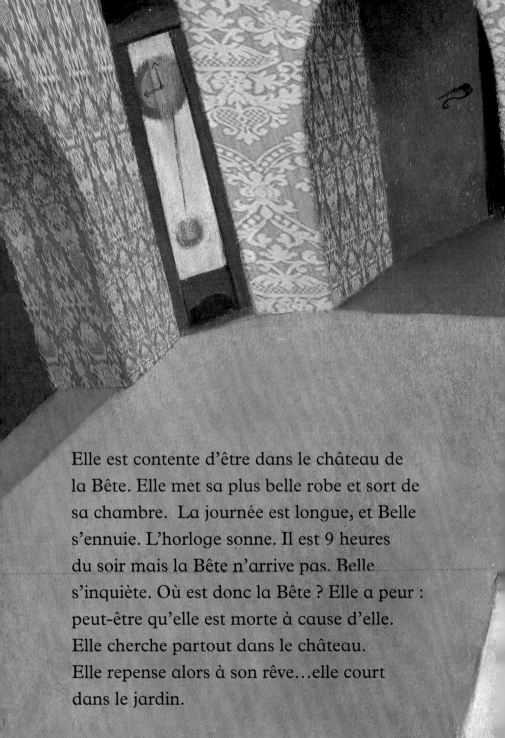

Elle est contente d'être dans le château de
la Bête. Elle met sa plus belle robe et sort de
sa chambre. La journée est longue, et Belle
s'ennuie. L'horloge sonne. Il est 9 heures
du soir mais la Bête n'arrive pas. Belle
s'inquiète. Où est donc la Bête ? Elle a peur :
peut-être qu'elle est morte à cause d'elle.
Elle cherche partout dans le château.
Elle repense alors à son rêve…elle court
dans le jardin.

23

La Bête est là, sur l'herbe. Elle ne bouge plus.
Elle a l'air morte. Belle se jette sur elle,
elle n'a plus peur de ce visage si laid.
Elle sent son cœur battre et lui
jette un peu d'eau sur la tête.

La Bête ouvre
les yeux : « Belle !
Je ne peux pas vivre sans
vous. Je suis content de
vous revoir avant de mourir. »
« Non ma chère Bête, ne
mourez pas ! » répond Belle,
« Je veux vous épouser,
je vous aime. »

Quelle surprise ! La Bête est maintenant un beau prince. Il lui dit : « Chère Belle, vous êtes tombée amoureuse de moi et grâce à vous me voilà libéré du sortilège d'une mauvaise fée. Merci Belle ! »

26

Belle et son prince
entrent dans
le château.
Toute sa famille
est là et elle voit
la belle dame
apparue dans ses
rêves. Cette dame
est une bonne fée :
« Belle, voilà votre
récompense. Grâce
à votre bon cœur,
vous allez devenir une
grande reine. »
La fée donne un coup
de baguette magique et
transforme les méchantes
sœurs de Belle en statues.
La fête commence.
Le prince épouse Belle et
tout est bien qui finit bien. ▣

Jouons ensemble !

1 **De qui parle-t-on? Écris le nom du personnage qui correspond à l'affirmation.**

- Belle
- Le père de Belle
- Les frères de Belle
- La fée
- La Bête
- Les sœurs de Belle

1 Elle est laide.

La Bête

2 Ils travaillent la terre.

3 Elle rêve.

4 Il est malade.

5 Elles sont jalouses et méchantes.

6 Il traverse le bois.

7 Elle apparaît dans les rêves de Belle.

8 Elle aime lire, jouer du clavecin et chanter.

9 Elles frottent leurs yeux avec des oignons.

10 Elle a un jardin plein de roses.

2 Associe les adjectifs contraires.

1 [c] malheureux   **a** laid

2 [ ] méchant   **b** pauvre

3 [ ] beau   **c** heureux

4 [ ] triste   **d** content

5 [ ] riche   **e** gentil

3 Complète les phrases.

campagne	appartement
château bois	jardin

1 Le marchand et sa famille vivent à la

_____campagne_____.

2 Il traverse le _____ pour rentrer

chez lui.

3 Il voit un grand _____ plein

de fleurs.

4 La Bête vit dans un beau _____.

5 Dans l' _____ de Belle il y a

une bibliothèque.

4 **Quelle heure est-il ?**
Écris l'heure qu'il est et associe les repas.

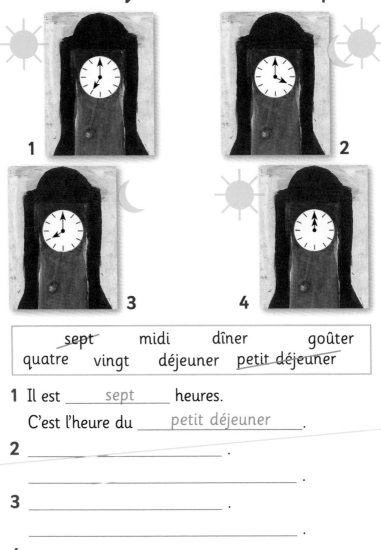

1

2

3

4

~~sept~~	midi	dîner	goûter
quatre	vingt	déjeuner	~~petit déjeuner~~

1 Il est _____sept_____ heures.

C'est l'heure du _____petit déjeuner_____ .

2 _____ .

_____ .

3 _____ .

_____ .

4 _____ .

_____ .

5 **Remets les phrases dans le bon ordre.**

1 Une Bête se met en colère et lui demande l'une de ses filles.

2 Mais la Bête lui manque beaucoup et elle rentre au château.

3 La Bête veut épouser Belle mais elle, elle refuse.

4 Un jour, le père de Belle revient de la ville.

5 La Bête se transforme en prince et épouse Belle.

6 Belle accepte de se sacrifier et part vivre au château.

7 Le lendemain, il cueille une rose pour Belle dans le jardin.

8 La Bête a l'air morte et Belle lui dit qu'elle veut l'épouser.

9 Après trois mois, Belle rend visite à son père malade.

10 Il se perd dans le bois et passe la nuit dans un château.

6 Que fait la fée aux sœurs de Belle ?
Observe les illustrations, complète la grille
et lis les cases colorées.

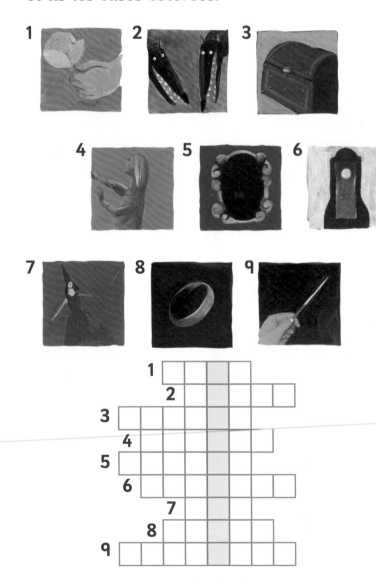